KB131194

중쇄를 찍자! 11

JUHAN SHUTTAI! 11 by Naoko MAZDA

중쇄를 찍자!

마츠다 나오코 만화 | 주원일 옮김

11

문학동네

차례

제60쇄★
사랑하고 싶어
사랑받고 싶어!

째깍
째깍
철컥
끝났다. 오래 기다렸지?
원고 마감 고생하셨습니다!!
내일모레 취재도 잘 부탁드려요!

취재? 뭐였더라?
『츠노히메사마』 연극 주연이었던 미츠키 와카 씨가 타카하타 잇슨 선생님의 작업실 리포터로 와주기로 했잖아요.
『바이브스』에 실릴 기사 말이에요.
어? 그거 다음달 아니었어?
지금이 그 다음달 인데요…
피곤하실 텐데 죄송해요!
그럼 잘 부탁 드립니다!!
시간이 왜 이리 빨라… 벌써 달이 바뀌었다니.

일단은
한잔하러 갈까!
오예~
그래.
선생님!! 와카 양이 작업실에 오는 게 정말이에요?!
玄界灘
역시 타카하타 선생님~
와~ 대단해요!! 미츠키 와카를 만난다고요?
좋겠다~ 나도 만나고 싶어!!

음악방 하고 있지
아~ 심야에 하는 〈음악의 구름〉 말이구나.
메인 MC가 개그맨 야마다 하루였던가?
아~ 그 호색한~!
그럼 와카랑도 이미 했으려나.
보조 MC로 오래 출연했으니까 모르지~
지금 내가 파고 있는 연예인은 타마츠쿠리 테레사야!!
그게 누구야?
지금 일본에서 인스타 팔로워가 제일 많은 모델~
아빠가 외국인이래.
부럽다~ 혼혈. 예쁘잖아.
무슨 소리! 너도 충분히 예뻐!
네가 더 예쁘다고 해야지…

부담 갖지 말고 편하게 놀다 가라.
선생님, 괜찮으심까?
아~ 괜찮아, 괜찮아.
후우
미안하다, 난 먼저 갈게.
어째 좀 피곤해 보이시네.
지금 여친도 없잖아?
일밖에 없는 생활이니 따분하지 않을까?

코토칸
우에취
!
다녀왔습니다
~~~~~~
그새 날이
추워졌네…

고생했어.
『츠노히메』
제판실에
곧바로 들렀다
왔나보네?
아, 네.
그런데
타카하타
선생님…
언제나 최선을
다해 작업해
주시지만…
피로가
쌓이셨는지
요즘 패기가 없어
보인다고 할까…
작품은
안정적이고
재미있는데
말야.
~~~~~~

……
뭐~
여친이라도
생기면, 불끈!
하실지도
모르지만.
그럼 차라리
린네 씨가
돌아와서…
크헙
환절기라서
피로가 쌓인
걸지도 몰라.
아아악~~~
와아아악~!!
이 바보야!!
할 말이 있고
안 할 말이
있지!!
그때
그 고생을
해놓고선!
웅얼 웅얼

늦어서
죄송합니다.
저희
도착했습니다!!
와카 씨랑
만나는 건
『츠노히메』의
공연을 보러
삿포로에 갔을 때
이후 처음이네요.
오랜만이라서
기대돼요.
안녕하세요.
오랜만에
뵙습니다!!
황홀~
우후후
오늘은
여러분께 드릴
쿠키를 만들어
왔어요!
이쪽은
촬영을 맡은
요시노 씨예요.
코토칸의
요시노입니다.
잘 부탁
드립니다
매니저
사사키입니다.

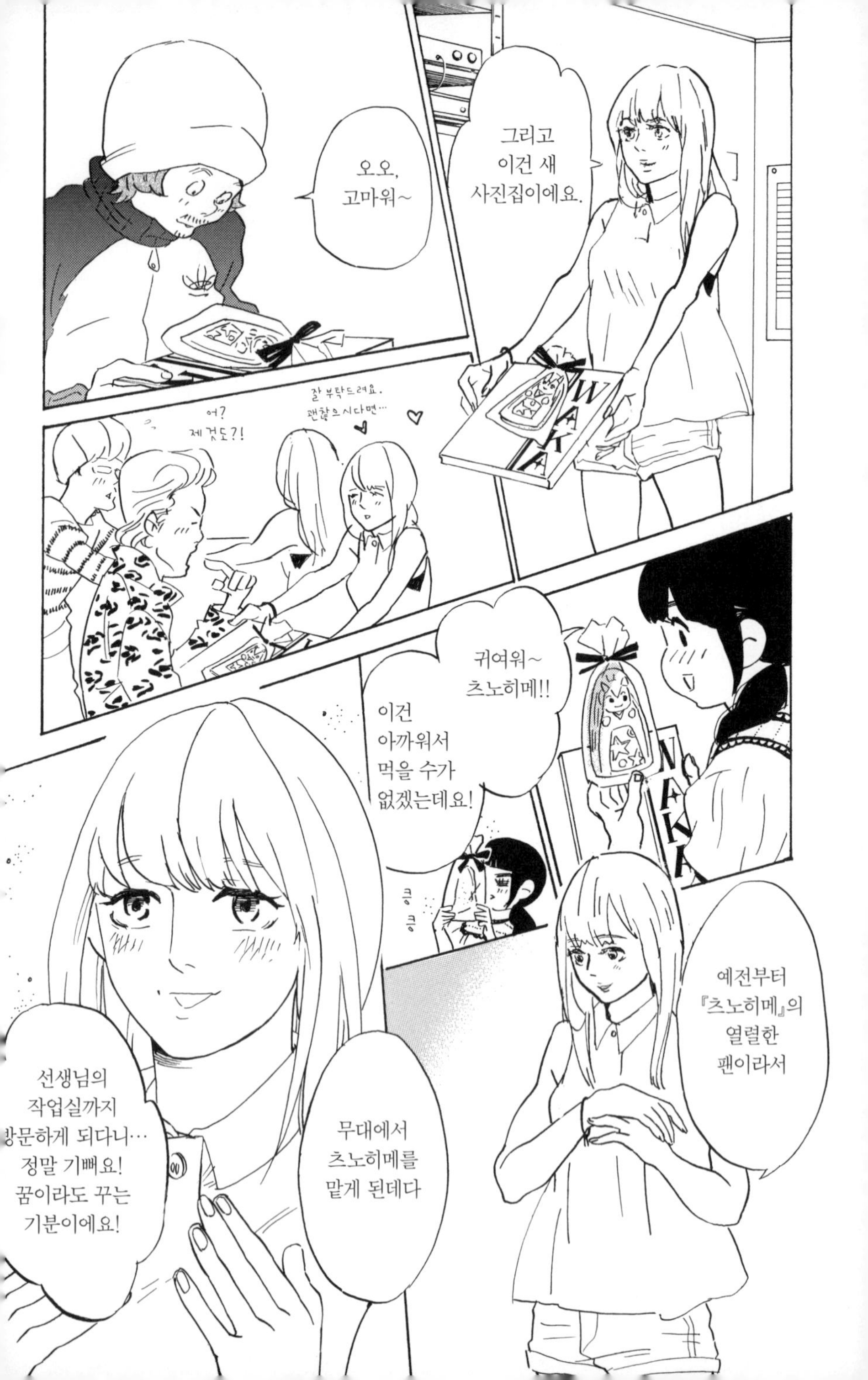
오오, 고마워~
그리고 이건 새 사진집이에요.
어? 제것도?!
잘 부탁드려요. 괜찮으시다면…
귀여워~ 츠노히메!!
이건 아까워서 먹을 수가 없겠는데요!
킁 킁
예전부터 『츠노히메』의 열렬한 팬이라서
무대에서 츠노히메를 맡게 된데다
선생님의 작업실까지 방문하게 되다니… 정말 기뻐요! 꿈이라도 꾸는 기분이에요!

다리 길다!
허리가 저 위에 있네!
타카하타 선생님~ 웃는 표정이 어색합니다~
우와아… 진짜 원고다!!!
와카 양, 먹칠이라도 한번 해볼래?
네? 그래도 되나요?

질끈
와, 긴장 된다!
린네도 해보고 싶어~
이건 심심풀이 땅콩이 아니라고, 빨리 집에 가라.

여기만
먹칠하고
나면
집에 가.
그럼
여기만.
꾸욱
에이~
뭐 어때서
그래~

치렁~

아이~ 싫은데,
머리카락에
묶은 자국이
남으면 칙칙해
보이잖아~!!
린네 씨,
죄송한데요…
워, 원고가
오염되니까
머리 묶어
주시면
안 될까요?

5cm
5cm
다 했어요!!!
짝 짝
짝

선생님, 저도 어시스턴트가 될 수 있을까요?
오늘은 정말 감사했습니다.
너무너무 즐거웠어요.
응응, 소질 있네.
우와~!!
완성된 기사가 기대되네요.
기사 탈고되는 대로 이메일로 보낼게요.
그래~ 맡겨둬라!!
확인 부탁드려요.
그리고 원고도 잘 부탁드립니다!
와카 양, 진짜 귀엽더라. 천사인 줄…

우웨에엑
와그작
부끄럽게도… 전 여자가 손수 만들어준 쿠키… 처음 받아봅니다.
나도 그래…
독인가?!
아니, 이건 내가 아는 맛이야… 냄새도…
시나몬이구나! 시나몬을 대체 얼마나 넣었기에?!
뚝 뚝

세상에 완벽한 사람은 없구나~
하 하 하
타카하타 선생님께, !
응원해주신 덕분에 새 사진집을 낼 수 있게 되었습니다♡
실례가 안 된다면 감상도 들려주세요.
와카.

아는데도
기쁘단 말이지.
그야 누구에게나
공평하게
상냥하다는 거야
알지만
긴장했어요~
하지만 엄청
즐거웠네요!
와카, 잠깐
사무실에
들렀다 가도
괜찮겠니?
네?
그래요.

참 꺼내기 힘든 이야기지만…
〈음악의 구름〉 보조 MC 교체가 결정되었어.
PD가 그러더라고.
'2년이나 하셨으니까요' 라고.
어…
메인 MC는 여전히 야마다 씨죠?
그래, 보조 MC만 교체한대.
야마다 씨의 제안을 거절해서 그런 건가요?
야마다 씨랑 잠자리를 가지면 스캔들이 퍼질 테고, 어차피 그러지 않더라도 젊은 애들이 계속 치고 올라오니까.
다음은 타마츠쿠리 테레사라고 하더구나.

처음 맡은 고정이라… 정말 즐겁게 일했는데…
이것도 기회로 받아들이자.
이번에 맡은 드라마 촬영으로 한동안 바빠질 테니까
스텝 업이라고 생각하렴.

너무 좋다~
힐링된다아~
타카하타 선생님께,
응원해주신 덕분에
새 사진집을 낼 수 있게
되었습니다♡
실례가 안 된다면
감상도 들려주세요.
와카
감상을…
어떻게
전하지?
와카 양은
트위터를 하고 있구나!!
하지만 난 안 하는데!!

주…
주연 맡아준 연예인을
팔로우하면 민폐라고
생각하지 않을까…
즉시
회원 가입

와카
당신을 팔로우하고 있습니다
으아아아,
맞팔해줬다아!!
아니!
정확히는
내가 아니라
『츠노히메』의
팬이니까!!!
아냐,
괜찮을 거야.
와카는
내 팬이니까.
다행이야,
평범하게
대답해줬어…
찝쩍대는 사람
취급은 받지 않았어.
"오늘은 오랜만에 밝은 미소를
볼 수 있어서 기뻤어.
스태프들도 다들 와카 양의
미소에 푹 빠졌지 뭐야.
사진집 고마워.
열심히 하되 건강도 잘 챙기렴."
"저도 여러분을 만날 수 있어서
정말로 즐거웠어요.
선생님도 건강 조심하시고요.
저도 열심히 하겠습니다!"
어라…
타카하타
선생님한테서
콘티가?

흠, 예전에도 비슷한 일이 있었는데.
아마…
4주치나?! 한 번에?
린네 씨랑 사귀기 시작했을 무렵이었지.
쫘악
5대 보조 MC, 미츠키 와카 씨는 오늘로 졸업합니다!
쫘악
방송 센터
A3

여러분 덕분에 오늘까지 올 수 있었습니다. 즐겁고 행복한 시간과 추억을 주셔서 고맙습니다.
메인 MC인 야마다 씨가 그녀를 탐탁지 않아 했다는 게 정말인가?
와카 씨, 누노히키 PD님께도 인사드리렴.
와카, 오늘까지 정말로 고마웠어.
PD인 나로서는 계속 나와줬으면 좋겠지만…
초대손님의 앨범을 통째로 들어보거나 질문을 준비해 오는 사람은 좀처럼 없거든.
역대 보조 MC 중에서 이렇게 자기 일을 열심히 한 사람은 없었는데…
그럼 왜 교체되는 거죠?
—— 그런 부분 때문이라고 해두지.

타마츠쿠리 테레사 씨께서 인사하러 오셨습니다.
아~ 타마짱~!!
타카하타 선생님, 이번 콘티 엄청 끝내주는데요! 언제나 재미있지만 요즘은 그야말로 어나더 레벨이에요!!
그렇지~? 나도 손이 멈추지 않아서 곤란할 지경이야~
오랜만에 제대로 삘 받은 느낌이야!
누구와 사랑에 빠졌는지는 모르겠지만,
이번 사랑, 포에버!!

이건가,
출연한다는
음악방송이.
귀엽다,
쿡 하고
웃는 모습
진짜 좋은걸.
어?
오늘로 끝이라고?
미츠키 와카
졸업
“지금 텔레비전을
켰는데 와카 양이
나오는 음악방송을
하고 있더라.
처음 봤는데
막방이라니 아쉽네.
그동안 고생
많았어요!”
뚝

"타카하타 선생님,
바쁘실 텐데 죄송하지만,
일 문제로 고민 상담을 부탁드려도 될까요?
만약 괜찮으시다면 만나뵙고 싶어요."
툭
PROOF
Bar

아, 안녕.
무슨 일이야?
새 옷
선생님,
바쁘실 텐데
죄송해요.
이런 일을
상담할 수 있는
사람이 선생님
정도뿐이라…

선생님께서 감상을 보내주신 〈음악의 구름〉은 처음으로 고정을 맡은 방송인데…
실은 강제 하차 당했어요…
정말 좋아하는 프로그램이라 죽도록 노력했는데· 저한테 부족한 건 대체 뭐였을까 싶어서요.
걱정을 끼칠까봐 소속사나 매니저한테 털어놓을 수도 없고요.
그 생각만 하다보니… 곧 새 드라마 촬영이 시작되는데 집중이 안 돼요…
이제까지 노력해온 방법이 틀렸을지도 모른다는 생각에… 불안해서…
어떻게 노력해야 할지 알 수 없게 되었어요.

와카 양,
우리 작업실에
왔을 때
먹칠했던 거
기억해?
네.
그때 머리는
왜 묶었어?
그야…
신성한
원고니까
제대로 해야
한다고
생각했거든요.
무의식중에
그렇게
생각할 수 있는
너는 대단한
사람이야.

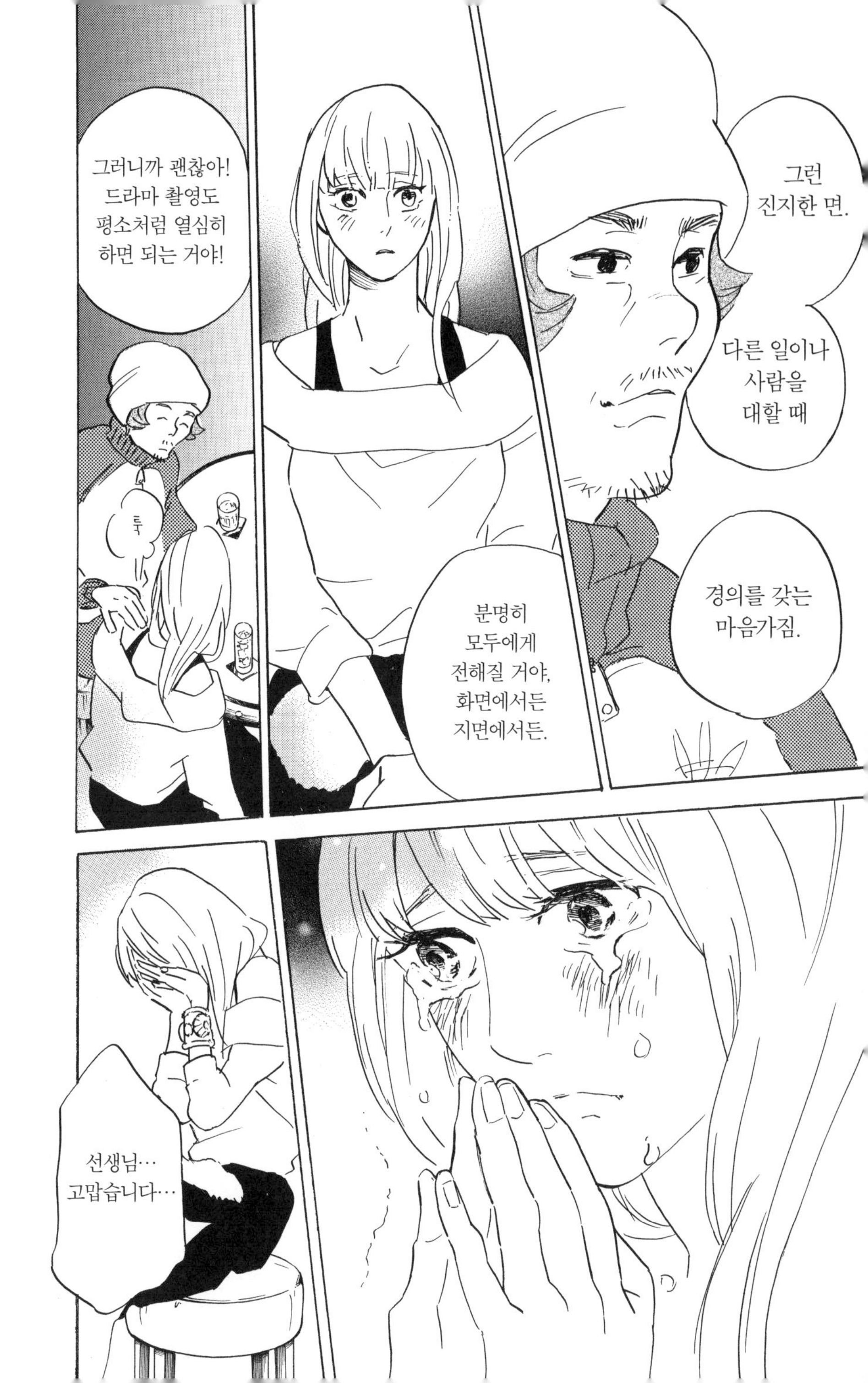
그런
진지한 면.
다른 일이나
사람을
대할 때
경의를 갖는
마음가짐.
분명히
모두에게
전해질 거야,
화면에서든
지면에서든.
그러니까 괜찮아!
드라마 촬영도
평소처럼 열심히
하면 되는 거야!
툭
선생님…
고맙습니다…

어때,
나왔어?
타마츠쿠리
테레사?
헛소문
아냐?

아냐,
믿을 만한
정보야.
밤마다 이 가게에
출몰해서
남자를 끼고
떡이 될 때까지
마셔댄대.
PROOF
Bar
찍기만 하면
대박이겠네.

찰칵 찰칵 찰칵
오, 누가 나온다!
뭐든 상관없으니까 일단 찍어!!
PROOF Bar
…어라? 저건 미츠키 와카잖아?
그리고
만화가 타카하타 잇슨!

어제는 좋은 말씀
들려주셔서
고맙습니다!
선생님의 말씀이
제 부적이 되었어요.
사랑하고 싶어 랑받고 싶어
열심히
할게요!

제61쇄 ★ 속·사랑하고 싶어 사랑받고 싶어!

주간
바이브스 편집부
코토칸
오~
요시노,
고생 많았다.
건졌냐?
타마츠쿠리
테레사.
후우…
편집장님.
그게
말입니다…
묘한 사진이
찍혔는데…

우와…!! 사생활 최초 유출!!
미츠키 와카?
그런데… 이 아저씨는 누구지?
타카하타 잇슨 선생님이야.
일반인?
사업가? 그것치고는 있어 보이지 않는데.
뮤지션?

타카하타? 『츠노히메사마』 …라면 우리 회사잖아!!
요시노 씨, 타카하타 잇슨이란 건 어떻게 알았어?
바이브스 VIBES
파토스
연극화 되었을 때 미츠키 와카가 츠노히메 역을 맡았었지?
저번에 『바이브스』의 그라비아 페이지를 촬영했거든요, 타카하타 씨랑 미츠키 씨랑 양쪽 다.
Ponyt
타카하타는 미혼이지?
이번 호
다음 호
최신 호
주연 배우와 원작자라.
아~ 불륜이라면 진짜 대박이었는데!!!
그렇게 친밀한 관계처럼 보이지는 않지만~

친밀한지 어떤지는 상관없어.
지금 핫한 연예인이라면 남자랑 둘이 있는 것만으로도 뉴스가 되니까.
일단 사실 확인부터. 미츠키 와카의 소속사에 전화해봐.
그리고 타카하타 선생님 쪽에도.
누구 바이브스 편집부에 아는 사람 없나?
상담 좀 하고 와.
WEEKLY
바이브스
VIBES
41
아, 저 동기 있어요.
음… 이오키베라고 하는데… 아마 부편집장일 거예요.
좋아, 그럼 너한테 맡긴다.

간판작가와
연예인의 특종을
터뜨리겠다고 하면
아마 싫어하겠지만,
잘 이야기해보라고.

Bictolia
Albay

오늘의 몽골동 런치 정식,
미부 씨~
양고기 교자 우츠노미야 풍이어서 곱빼기로…
코토칸
와카의 쿠키를 누가 먹어버렸잖아!!!
으윽, 쿠로사와…
미안하다. 도저히 못 참고 먹었는데, 배가…

그건
독이야.
먹지 마,
절대로!!
네?
독이라니?
그게 무슨?
쿠로사와.
잠깐만.
네.
이것 좀
봐주면
좋겠는데.
교자가…

타카하타
선생님이랑,
와카 씨?
MILK CUP
안녕하세요. 코토칸 『주간 파토스』 편집부의 미타카라고 합니다.
미츠키 와카 씨의 매니저분 계신가요?
확인해 주셨으면 하는 게 있어서요.
네, '밀크컵'입니다.
デビュー

접수
A 스튜디오
카메라B
와카 참 좋네.
몸동작이 예뻐.
쳇…
와카, 이제 들어가니?
고생 많으셨습니다. 먼저 실례할게요.
꾸벅
와카 씨, 사무실로 와달라는 연락이 있었어요.
네.
무슨 일이지?

MILK CUP
와카,
이거 너 맞지?

주간지에
싣고 싶다는
연락이 왔어.
사정을
설명해줄 수
있겠니?
같이 있는
사람은
타카하타
선생님이지?
……!!
네,
맞아요.

일 문제로 고민 상담을 해주셨어요…
드라마가 시작되기 전에 조금 혼란스러웠거든요.
사사키 씨나 회사 분들께는 걱정을 끼치고 싶지 않았고요.
사귀는 거니?
아뇨! 진심으로 존경하고 좋아하는 선생님일 뿐이에요.
데뷔했을 때부터 이제까지 뭐든 털어놨잖니.
사생활도 숨김 없이 말해주었고.
나를 신뢰한다고 생각했는데
어째서 이렇게 되었지?
지금은 첫 드라마 출연중이니 가장 중요한 시기라는 걸 잘 알잖아?
만약 무슨 일이 생기면 드라마 관계자들한테 가는 피해가 이만저만이 아냐.

타카하타 선생님의 『츠노히메』에도 악영향을 준다면 은혜를 원수로 갚는 꼴이 되지 않겠어?
교제하는 사람이 있다면 그건 괜찮아. 어른이니까 자기관리와 일을 잘 양립할 수만 있으면 돼.
물론 나도 협력하겠어.
하지만
탤런트는 빛이야.
이런 사생활을 찍혀서 근거도 없는 억측으로 인해 팬에게 상처를 준다면
응원받을 자격이 없어!!

내 잘못도 있어.
네가 현명하다고 생각해서 안심했지 뭐야.
제대로 케어하지 못한 것 같아.
정말로 죄송해요…
그런데 타카하타 선생님과는 어떻게 연락했니?
SNS로요.
크아아악!
하여간 그놈의 SNS!
트러블의 온상이야!
일만 늘고!

사장님도
사진과 기사는
어떻게든
막아보겠다고
말씀하셨고
타카하타
선생님께도
사과해둘
테니까
넌 일에
집중하렴.
네.
tolia
Bi
KUSAMURA
코토칸
주간
바이브스 편집부
앞으로
주의하겠습니다.

『파토스』는 싣고 싶겠지만, 우리로서는 막아야 한다.
하지만 기분 별로네… 아는 사람의 이런 사진을 보는 건.
타카하타 선생님의 콘티가 그렇게 엄청난 기세였던 건 와카 씨 때문이었군요.
외부의 잡음 때문에 작가가 작품에 집중하지 못하는 환경이 되는 건 곤란해.
『츠노히메』가 세간에서 이상한 의미로 화젯거리가 되는 것도 마이너스고.
일단 타카하타한테 사정을 들어봐.
『파토스』랑 교섭한다 쳐도 상황을 모르면 할말이 없으니까.
머엉…
쿠로사와!
앗! 죄송합니다!!

타카하타 씨도
미츠키 씨도
어른이고,
만약 둘이
사귀고 있다면
응원하고 싶어…
저 녀석,
괜찮을까?
하지만
작품을 지키는 게
담당 편집자의
일이잖아.
연애는
가장 약한
분야인데…
하지만 그래도
사랑에 빠진
타카하타 씨의
콘티는
정말 좋았는데.
그래도 하지만 그래도…
타카하타 씨랑
미츠키 씨의 팬들은
어떻게 생각할까?
아니, 그래도
본인들의 문제잖아.
아~
대체 뭐라고
말해야
하는
거야
~~~~~~
~~~~~~

405
TAKAHATA
선생님의 말씀이 제 부적이 되었어요.
열심히 할게요!
드라마 기대할게. 힘내.

어째서… 답이 없지.
읽긴 읽었는데.
아니아니아니아니, 그냥 바빠서 그런 거야. 무지무지 바쁜 거지!!!
분명히 또 말을 걸어줄 거야!!!
아니면 한마디 더 보내 볼까.
망상
선생님~ 와버렸어요~
괜찮아~
도시락 만들었어요.
아앙~
꺄아~ 기뻐요~
맛있다! 와카는 천재구나!
딩동
으악!

아, 미팅이
오늘이었구나.
무슨 일
있나?
표정이
왜 그리
어두워!
화륵
그게,
이거…

사진…
찍혔구나.
『주간 파토스』에서
싣고 싶다네요.
저번에
그라비아
촬영하러
오셨던
요시노 씨가
우연히
이 사진을
찍고서.
타카하타
선생님과
미츠키
씨라는 걸
알아
봤어요.

지금 『파토스』 측에서 미츠키 씨의 소속사와 교섭 중이고,
타카하타 선생님께도 확인을 하고 싶다고 『바이브스』에 연락이 왔어요.
아, 그래서…
열심히 할게요!
드라마 기대할게. 힘내.

죄송해요, 사생활 문제에 편집자가 주제넘게 끼어들어서…
하지만 타카하타 선생님도 『츠노히메』도 소중하고, 문제되는 일이 없었으면 하니까.

미츠키 씨도 정말 좋은 분이니, 만약 두 분이 교제중이시라면 정말로 면목이…
……

툭
안심해, 그런 거 아니니까.

일 문제로 고민이 있다고 해서 잠깐 상담해줬을 뿐이야.
매니저한테도 걱정을 끼치고 싶어하지 않더라고.
나는 남자니까 문제없어. 찍히든 실리든.
하지만 와카 양은 이제 시작이니까 절대로 실리지 않게 해줘. 와달라고 해서 좋다고 간 내가 문제였어.
내가 할 수 있는 일이 있다면 뭐든 할게.
네… 그렇게 전할게요.

새끼곰,
민폐 끼쳐서 미안하다.

어떻게 됐어? 미츠키 와카랑 만화가가 함께 찍힌 사진.
PROOF Bar
지금 소속사랑 교섭중이래.
멍청하긴~ 미츠키는 '츠노히메'를 연기하고 있으니까 소속사도 『바이브스』도 어떻게든 막으려 들 거 아냐.

회사에 소속된 카메라맨은 잡지 편집부의 의향에 맞춰 일할 수밖에 없다.
모르는 척 다른 잡지사에 데이터를 팔았으면 좋은 용돈벌이가 되었을 텐데.
나도 나름의 직업윤리가 있어.
……
그래서 그라비아나 인터뷰 일을 나가면 안심하게 된다.
내가 깨끗한 일을 한다는 기분이 드니까.
이런 도촬이나 다름없는 일들, 넌더리가 난다.
특종을 쫓아다니
협박도 당하고 발로 차이기도 하고
며칠씩 집에 못 들어가기도 한다.

세간의 흥미거리가 내 주인이니까!
그만두고 싶으면 그렇게 해.
너 그렇게 안 맞는 일 계속하다가 몸만 상한다.
표면도 이면도, 빛도 어둠도,
전부 찍는 거야.
하지만 다들 보고 싶어하거든, 숨겨진 것들을.

주간
파토스 편집부
이번 일로 민폐를 끼쳐 죄송합니다.
『바이브스』 편집부의 이오키베라고 합니다.
미츠키 씨의 매니저 사사키 씨에게 전언을 받아 왔습니다.
타카하타 선생님도 미츠키 씨도
미혼에, 친구 이상의 관계도 아니니 손가락질당할 일은 아니지만,
미츠키 씨는 주연을 맡은 드라마가 시작되는 중요한 시기이기도 하니
청순파 여배우로서 소중하게 키우고 싶다고 합니다.

이번 건은 싣지 않는 쪽으로 부탁드립니다.
『바이브스』로서도 타카하타 선생님은 코토칸의 보물과 같은 분이시니 흠집을 내고 싶지 않습니다.
부디 이번 일은 아량을 베풀어주셨으면 합니다.
우리도 회사의 간판작가인 타카하타 선생님을 지키고 싶지만
그러면 매일 철야에 잠복으로 고생하는 특집반 스태프들을 볼 낯이…
…그렇게 말씀하실 거라고 생각해서,
미츠키 씨 쪽에서는
이번 일을 넘어가주신다면 앞으로 있을 미츠키의 마지막 그라비아는 『파토스』 독점으로 하겠다고 제안했습니다.

주간
바이브스 편집부
불쑥
하나 더!
어떻게 되었나요, 타카하타 선생님 기사?
안 신기로 했어.
다행이에요!
묻어주는 대신에 미츠키 씨의 마지막 그라비아와 첫 드라마 방영에 맞춘 『파토스』 독점 그라비아 게재로 합의를 봤지.
장사에 도가 텄구먼!
미츠키 와카의
타카하타 잇슨 작업실 방문기
데일리

믿기지가 않아…
이렇게 예쁜 친구가
작업실에 오고,
밖에서 함께
술까지 마셨다니.
그때,
오늘은
고마웠습니다.
나라도
괜찮다면
언제라도
불러줘.
NO smoking

하지만
고민을 털어놓는
그 친구를
보고서,
'혹시나'
하는 마음은
있었어!!
샤워를 두 번 하고
나갈 정도로
기대하고 있었던 건
사실이야!!

저한테
부족한 건
대체 뭐였을까
싶어서요.
예쁜 외모만 믿고
적당히 해도
될 텐데.
필사적인 마음으로
남들 앞에 서는
일을 한다는 걸
알 수 있었다.
어떻게
노력해야 할지
알 수 없게
되었어요.
누구와도
고민을
나눌 수 없다고,
절박감이
들 정도로
진지하게.

주간
바이브스 편집부
정말로 좋아하는 사람이니까 물러나고 싶어.
분명 더 크게 될 사람이니까
그 각오는 진심으로 존경스러워…

설정
프로필 설정
계정 보안 및
개인 정보
PIN코드
연령확인
계정 삭제
취소
꾹
그럼 나중에 메일 보낼게.
잘 부탁 드립니다~
앗?
요시노 씨.
코토칸

샥
저번엔
정말로!!
이상한 거
찍게 해서
미안했다!
……
꾸벅
노래방
SPORT

중쇄를
찍자!

제 62 쇄 ★ 두번째 작품의 딜레마!
뿌웅

맛 보장
야마타카라멘
불조심
영업중
라라
라멘
오래 기다리셨습니다! 손바닥 크기 차슈 + 더블 맛달걀 라멘!!
꺄아~♡ 맛~있~겠~다~♡
잘 먹겠습니다!!

꿀꺽
꿀꺽
푸하아~
쿠로사와는 언제나 맛깔나게 먹어준다니까.
보고 있으면 기분이 좋아!!
잘 먹었습니다!!
고마워요~
WEEKLY

코토칸
폐점 안내
언제나 서점 에센스를 이용해주셔서 감사합니다.
당점은 ○월 ○을 기해 영업을 종료하게 되었습니다.
오랫동안 사랑해주셔서 대단히 감사합니다.
서점 에센스
꺼억~
안내
센스
쿵 쿵
너, 라멘 먹고 왔지!
죄, 죄송 합니다
라멘 대장인 나를 놔두고!!
배가 고파서 …
그건 됐고!
앗, 쿠로사와!!
헉
미부 씨!

너, 예전부터 후카왓치가 그린 『애니멀 정션』이 재미있다고 말하지 않았냐?
후카왓치라면 후카와 유 씨를 말씀하시는 거죠?
후카와 씨의 캐릭터가 워낙 귀여우니까요.
『애니멀 정션』도 좋아했어요!!

본인한테 그 얘기 해주지 않을래?
카페
페루
데뷔 때부터 꾸준히 담당을 맡고 있지만, 두번째 작품인 『애니정션』이 3권으로 연재 종료… 냉정하게 말하면 잘렸지.
오늘 미팅도…
모티베이션이 안 생겨요…

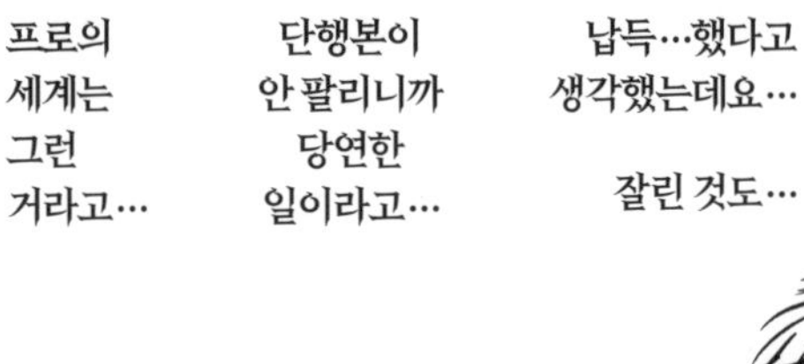
납득…했다고 생각했는데요…
잘린 것도…
단행본이 안 팔리니까 당연한 일이라고…
프로의 세계는 그런 거라고…

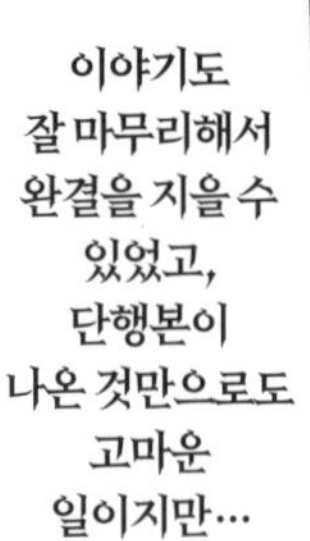
이야기도 잘 마무리해서 완결을 지을 수 있었고, 단행본이 나온 것만으로도 고마운 일이지만…

그래도 …

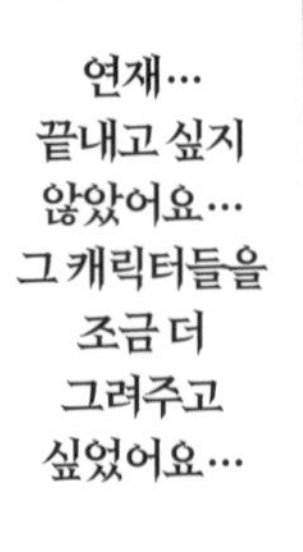
연재… 끝내고 싶지 않았어요… 그 캐릭터들을 조금 더 그려주고 싶었어요…

몇 번이고 말하지만, 후카와 씨한테는 재능이 있어요. 그땐 어쩌다보니까 잘 안 되었을 뿐이고요.

마음 다잡고 다음 작품에서 캐릭터도 잘 살려 보자고요!!

무리…
무리 예요…

그렇게 시간을 들여서 낳고… 사랑한 아이들을…
제멋대로 가지고 논 후에…
냉정하게 버리고…
다음 아이한테 가버린다니…
전 그런 짓 못해요!!
으아아앙
오, 오, 오해예요…

연재가 끝난 지 1년이나 지났는데도 이렇게 매번 울기만 해서야 나도 버틸 수가 없어.
더 해줄 수 있는 말도 없고.
나도 이래저래 고민해보았지만 타개책이 없더라고.
후카왓치는 재능이 있으니까 열심히 해주면 좋겠는데.
첫 작품인 『어게인×어게인』이 좋은 평을 얻은데다 신인치고는 실적도 좋았지만
두번째 작품이 생각보다 안 나가서
이대로 연재를 계속해 상처를 곪게 만들기보다는 빨리 접고
세번째 작품에 승부를 건다…
저였어도 미부 씨랑 똑같이 판단했을 거예요.

단행본의 신간 부수는 전권의 실적을 보고 정하는 거니까, 인기 없는 연재를 무작정 이어가봐야 신인한테는 불리할 뿐이야.
후카왓치도 수긍하고 마지막 화를 그렸을 텐데.
작가의 마음은 아무래도 또 다를 테니까요.
미부 씨!!
제가 담당하고 싶어요!
후카와 씨랑 새로운 작품을 함께 만들고 싶어요!!

쿠로사와!!!
벌컥
잠깐 편집장님이랑 상담해볼게.
부탁드려요!
흐음…
쿠로사와랑 후카왓치…
여자끼리 시너지를 일으켜 뭔가 재밌는 게 나올지도 모르겠네.
아마 이쯤에…
찾았다! …어라?
타오 있나!! 슈조
2, 3권을… 안 샀네?
애니멀 정션
후카와 유
1
여계인

안녕하세요~
앗, 오랜만이야!
이쪽에 일이 있었나봐?
네! 마침 이 근처에 볼일이 있어서… 그리고 아마 카와 씨 쪽에는 있을 거라고 생각했거든요.
뭔데? 만화?
『애니멀 정션』? 3권 완결이었지…
한참 전에 나오지 않았던가?
맞아요, 회사 근처 서점에도 없어서…
아~
1권은 매대에 쌓은 기억이 있는데, 2권부터 안 나가서…
원래 그런 거야.
네?
어째서일까요… 저도 1권은 샀는데 2권부터 깜빡했더라고요! 전작도 좋아했으니까 나름 열혈팬이라고 생각했는데…

두번째 작품의
딜레마…
첫 작품은 신선하고
평판도 좋은
작가였는데,
이상하게
두번째 작품에는
손이 안 간다.
어째서죠?
질려서가 아닐까?
다들 신선한 인물을 원하니까.
신인작가는 계속해서 끝없이 나오잖아?
삑
……
나름대로 재미있어도, 미디어믹스라도 하지 않으면 화제에 오르지 못하고.
재미가 없으면 욕만 잔뜩 먹게 되지.
소비당하는 신세랄까

여기에 없다면…
'에센스'에 한번
가볼까…
'에센스'?
쿠로사와네 회사
근처에 있는?
거기 폐점했을 텐데?
네?!?!

미디어믹스 코너
책 선정이 꽤 재미있는 곳이었는데, 매출이 나빠졌나봐. 경영진이 바뀐 후에도 한동안은 분발했지만…
우리도 위에서 한소리하더라고. 서점 직원의 개성을 드러낼 여유는 없다고.
어라…? '카와 씨 전용 책장'이 없네요?!
'경영진이 바뀐—'
폐점 안내
언제나 서점 에센스를 이용해 주셔서 감사합니다.
당점은 ○월 ○을 기해 영업을 종료하게 되었습니다.
BOOK

서점 에센스
맞아… 재미있는 책을 잔뜩 만날 수 있는 서점이었는데.
폐점 안내
언젠가부터 팔리는 책만 들어오게 되어서 점점 발길이 뜸해졌어.
BOOK
'질려서가 아닐까?'
너무하네… 라고 생각했지만
BOOK

그러는 나도 깜빡 잊고 단행본을 안 샀으니까.
너무한 사람은 바로 나였어
이렇게 되면 일단
'종이책파'이긴 하지만…
전자책으로 사는 수밖에 없나…
RtL
Read to Limit
소년 만화
소녀 만화
청년 만화
여성 만화
정말 여러 가지 의미에서 쓸쓸한 시기가 되었구나.

RtL
Read to Limit
마음껏 읽자
시무룩…
헉!
오오오!
내가 침울해 봐야 변하는 건 아무것도 없어… 힘내자~!!
에조~ 에조에~ 네가 예전에 일했다는 서점이 '에센스' 맞지?
네, 맞는데요.
오늘부로 전 지점 폐점이라더라.

흔들
의외로 빨리 왔어! 전자의 시대가!!
이제부턴 전자책의 시대다앗!!
흔들

탁
이직하길 잘했네!

전자책 서점에 입사한 지 어언 20년… 판권사에 별종이나 잡것 취급받던 영겁의 시간을 견뎌왔는데…

좋은 회사이기는 해… 아이디어도 받아주고 기획도 잘 통과되고.

다행… 일까…

종이책을 좋아해서…
학창시절
알바로 시작했다가
정사원이 되었다.
중노동이었지만
손님에게도 재미있는
책을 제안할 수 있어서
나름대로 충실한
날들이었다.
그만둔 이유야
복합적이지만
가장 큰 이유는…
그냥 책을
꽂기만 하는
사람이 되었기
때문이다.

엄연한
북 큐레이터라는
각오로 노력했지만
에조에
나에게는
역부족이었다.
매장 한 곳조차
지키지 못했다.

내가 서점에 버림받은 걸까,
서점이 나를 버린 걸까.
쪼르르륵

뭐야, 그거? 재미있어? 잔인? 끔찍?
'재미있'고 '즐거운' 거야. 몰라? 『애니멀 정션』.
애니멀 정션
후카와 유
1

어~ 옛날 거야? 80년대?
요즘 거야, 요즘 거!!
아하하
아… 후카와 유? 『어게인× 어게인』 작가구나!

다음 작품이 나왔었구나. 그건 몰랐네~
요즘도 연재하고 있어?
아쉽지만 3권 완결로 연재종료인 것 같아.
아이고…
전작은 그렇게 잘 나갔는데.

내가 마지막으로 종이책 서점에서 이벤트를 꾸려보려고 했던 작품…
전혀 도움이 못 되어서… 미안한 마음뿐이야.
애니멀 정션
후카와 유
후카와 유 선생님의 신간 발매!!!
견본
애니멀 정션
신간 코너
애니멀
후카와 유

후카와 유@차기작 구상중
1년 전에 올린 게 마지막이네…
팔로우
트윗
재미있었는데, 왜 그렇게 인기가 없었을까…
툭

라멘
SHINE
식권
NO.1
인스타
핫플
기운 내셨으면
좋겠는데…
후…
후룩…
후룩…
흘끔
하아아아…
VIBES
나카타 하루
대인기
단행본 1권 호평 발매중

그렇게 맛없다는 듯이 먹지 말아줘~
잘… 먹었습니다…
우웅
우웅
우웅
…네.
안녕하세요~ 『바이브스』의 미부입니다~

미부 씨… 죄송해요… 아직 전혀… 구상이 잡히지 않아서…
감사합니다
네? 잘 안 들리는데요! 크게 말씀해 주세요!
실은 차기작에도 대비할 겸 담당을 바꾸는 건 어떨까 해서요.
다음에 만나게 해드리고 싶은데요!
툭
미부 씨, 저를 버릴 생각이군요
오오 오 오 오
그게 아니라—!

후카와 씨를
위해서입니다.
데뷔작부터
함께해봤지만,
저로서는 이제
후카와 씨의 장점을
끌어낼 수가 없어요!
새 담당과
의기투합해서
신작을
만들어주세요.
대단히 괴로운
시기일 거라고
생각하지만,
제
편집자로서의
경험으로
말하자면,
여기를 넘어서면
만화가로서
더 큰 인물이 될 수
있을 거예요!!
후카와 씨는
그런 가능성을
가지고 있어요!
대체
어떻게…

연재가
끝난 지
1년.
21:00
후카와 유@차기작 구상중
트윗
아무리 그려도
캐릭터가 안 나와.
아이디어도
콘티도,
잡힐 것
같다가도
산산이
흩어져버려.
첫 연재는
즐거워서
정신없이
그렸어.
신인 만화
어디까지고
달릴 수
있을 것
같았는데
두번째는
발밑이 울퉁불퉁해서
숨이 찼어.
세번째는…

내가 왜
여기에 있는지,
뭘 하고
싶은지조차
모르겠어.
신인 만화가

RtL
Read to Limit
마음껏 읽자
회의 시작한다!!
헤이~ 게임은 그만~
네~
예아~
안녕하세요~
사과 필요한 사람?
으으~ 아이템이 안 닿아~
안녕~
좀 뻔하지만 '고양이 만화'는요?
개는 안 되나요?
다음달에는 무슨 특집을 할까?
지금 하는 '보이시 미소녀' 특집도 실적이 꽤 괜찮은데.
특집 보이시 미소녀 만화!
장르를 너무 좁히면 좋은 작품을 찾기 힘드니까.
차라리 크게 '동물×인간'으로 잡는 게 나을지도.
그럼 햄스터나 새는…
인외물(人外物)도?

아…
변신도 좋고 반려동물도 좋아. 열 작품으로 하자고. 추천할 작품 있나?
『애니멀 정션』 추천합니다.
'눈물' '웃음' '공포'의 밸런스를 맞추면 좋겠네요.
얼마 전까지 『바이브스』에서 했던 거지?
난 모르는데.
사파리 파크로 수학여행을 간 고등학교 어느 학급의 투어버스가 전복되는 바람에
학급 전원이 동물과 몸이 바뀌는 내용인데요.
그게 뭐야.

학급 내 서열과
동물로 변했을 때의
서열이 뒤죽박죽으로
변하거든요.
그 점이
재미있어요.
읽어
볼게.
그럼 각자
후보작을
읽어와.
내일모레
회의에서
열 작품
정할 테니까.
네~
아!
잠시만요!!
『애니정션』은
양면 페이지가
특징이니까,
가로 스크롤로
읽으시는 걸
권해드려요!
싫어어어어어~
멋지다아아!!

드 으 득
어이,
에조~!!
네가 말한
『애니정션』
말인데,
탁
어차피
재미있을
거라
생각하고
읽어봤는데
역시
재미있더라.

페루
후카와 씨랑은 보통 이 가게에서 미팅을 하거든.
카페
페루
쿠로사와… 후카와 씨는, 뭐라고 할까… 성격이 어두운 편이니까.
인수인계는 섬세하게 해줘.
네엡!!
변들
변들
불안해…

새끼곰…

미부 씨한테
버림받을 줄이야…
걸레짝처럼
엉망이 되어서
버림받는 거야…
제발
좀…
명란젓
명란젓
전화로도 몇 번이나
설명드렸지만
'버린다' 같은 게
아니라니까요!
명란젓
어디까지나
발전적인 의미의
담당자 교대예요.
아무튼
그래서
새 담당자는
저희 편집부
막내인
쿠로사와예요.
처음
뵙겠습니다,
쿠로사와
입니다!
후카와 씨의
만화를 엄청
좋아하거든요.
함께 일할 수
있어서
기쁩니다!
히끅
참고로 쿠로사와는
여자유도 올림픽
국가대표였어요.
주특기는
업어치기입니다!!

'헬로, 인간들!!' 특집의 작품 선정 결과가 나왔습니다아~~~~
헤이~ 다들 고생했어.
『백사의 아이』
『비스트』
『안녕 까마귀』
『임금님들의 카니발』
『늑대의 검』
『우리집 빗땅』
『시스민』
『비늘 공주님』
『바늘 세우기 좋은 날』
이상 아홉 작품과,

『애니멀 정션』으로
결정하겠습니다.

운동부
스타일은
무리야
~~~~~~
번들
번들
~~~~~~

제63쇄 ★ 진 건 잊어도 된다!

쿠웅
쿠웅
으으…
헉!

까야아아아아아
코사악
헉
헉
새끼곰이
나를
짓밟으러
왔어~~~~

주간
바이브스 편집부
돈가스 특집
『애니멀 정션』의 후카와 유 선생님은 미부 씨 담당 아니었나요?
쿠로사와 씨! 코마이 씨가 전자책 이벤트 때문에 상담할 게 있대.
네!

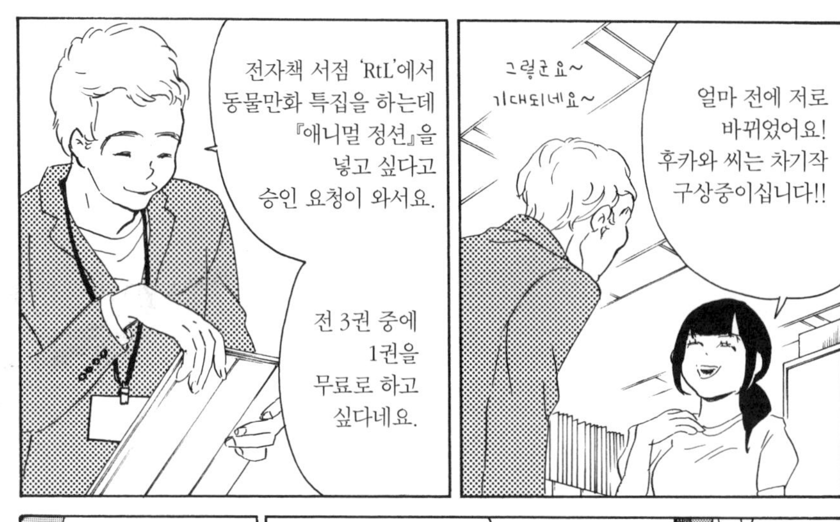
전자책 서점 'RtL'에서 동물만화 특집을 하는데 『애니멀 정션』을 넣고 싶다고 승인 요청이 와서요.
전 3권 중에 1권을 무료로 하고 싶다네요.
그렇군요~ 기대되네요~
얼마 전에 저로 바뀌었어요! 후카와 씨는 차기작 구상중이십니다!!

『애니정션』을…
그리고 그것과는 별개로 코토칸 측에서도 사업제안을 할 게 있어요.
미쿠라야마 선생님의 『드래곤』 시리즈 말인데요,
제1부 34권 전부를 일주일 동안만 무료로…
타카하타 잇슨 선생님의 『츠노히메사마』 10권까지 무료…
전권 무료요?!
…가 가능할지 상담드리러 왔습니다.

무… 무료라니, 그런 방식이면 선생님들께 이익은 제대로 나나요?
걱정 마세요!
데이터가 있어요!!
이벤트 기간의 실적
이건 다른 장기연재 완결작들의 데이터입니다.
미쿠라야마 선생님의 『드래곤』 시리즈는 지금도 연재중인 인기작이지만, 솔직히 말씀드리면 구간들은 이제 거의 나가지 않거든요.
하지만 이 데이터로도 알 수 있듯이,
'전권 무료' 라는 임팩트도 있어서
읽은 분들이 SNS에 감상을 올리면 입소문이 퍼져서 신규 독자도 늘어나고요.
'전권 무료'라고는 해도 일주일 만에 독파할 수 있는 사람은 많지 않기 때문에 상당수가 다음 권을 구매하게 됩니다.

『애니정션』은 안 읽어본 분이 많을 것으로 예상되니 1권을 무료로 풀어서
진입장벽을 낮추고 싶다고 제안하더군요.
타카하타 선생님의 『츠노히메』도 신간은 잘나가지만 앞권들도 다시 움직이게 하고 싶거든요. 마찬가지로 진입장벽을 낮추기 위해
초반 10권을 무료로 풀면 좋겠다… 싶어서요.
선생님들께서 허락해주신다면, 전자책 서점과 이벤트를 짜볼 생각이에요.

알겠습니다… 그렇다면야 선생님들과도 상담해볼 수 있겠어요.
혹시 그 데이터, 복사해주실 수 있나요? 선생님들께도 보여드리면,
더 안심하실 수 있을 것 같아요.
미쿠라야마 선생님과 타카하타 선생님은 조만간 원고를 받으러 가니 그때 여쭤보기로 하고,
후카와 씨는…

웅 웅 웅
네… 후카와 입니다.

『바이브스』의 쿠로사와입니다! 지금 통화 괜찮으신가요?
…네…

『애니정션』을 전자책 서점에서… 1권… 무료요…?

동물 특집으로 선정된 열 작품에 뽑혔대요!!
대단한 일이에요!!

…어차피… 연재 잘린 작품이니까… 무료든 뭐든… 상관없어요…

연재 잘린 작품은…
무료입네 뭐네 하면서…
헐값에 팔아치우는 거야…
출판사
진짜
너무하네…
감사합니다!
그럼
승낙하셨다고
전자책 서점에
전달할게요!
차기작
구상도
기대하고
있…
뚝
…끊어버렸네…

'헬로, 인간들!!'
특집으로 선정한
모든 작품의
승인이 났다.
디자인부에
소재본(샘플 도서) 보내고,
오류는 없는지 다들
체크 부탁한다.
Rtl
Read
마음껏
읽자

미쿠라야마
다행이야… 『애니정션』은 정말로 재미있는 작품이니까… 많은 사람들이 봐주면 좋겠어.
전권 무료?! …라고요…
놀라시는 건 이해합니다 …
그런 식으로 팔아도… 괜찮은 건가요?
판매가 정지된 단행본이 다시 움직인다니…
흥미롭네요, 전자책에서만 가능한 상법이라고 해야 하려나…
바스락
전자책 부서에서 참고 데이터를 보여줬거든요.
흐음…

405

TAKAHATA

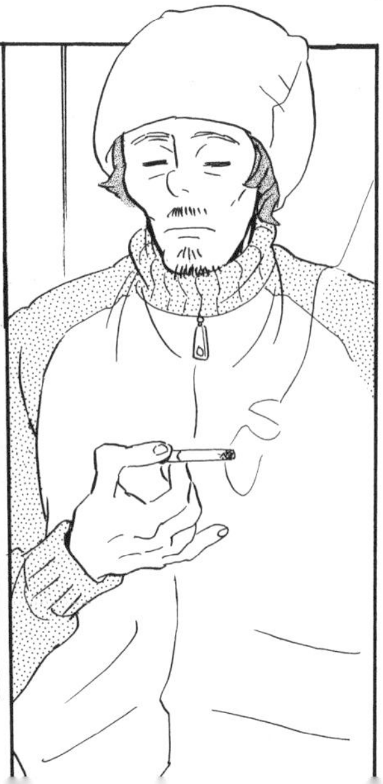

그보다 전자책
이벤트에 대해서
의논드릴 게
있는데요.
미쿠라야마
선생님의
사모님이
요리를 정말
잘하시거
든요!!
역시…

일주일 한정으로
무료 공개하면
진입장벽이
낮아져서 매출이
오른대요.
하아—
10권까지
무료라.

감사합니다!
나는
종이책파라서
전자책은 전혀
모르니까 이 건은
너한테 일임할게,
쿠로사와.
근데
전자책 서점에서
툭하면 이벤트입네
무료입네 반값입네
하는데
그건 대체
왜 그러는 건데?

이건
그야말로…
'새우를
미끼로
도미를
낚는다'
로군.

코믹
에디터 추천
전자책 서점은 작품이 톱 페이지에 게재되는지의 여부에 따라 매출에 큰 영향을 준다네요.
저희 회사 전자책 부서의 코마이 씨가 한 말인데,
좋아하는 작가나 작품명을 검색해 가면서까지 사는 사람은 얼마 없고,
톱 페이지를 보고서 '왠지 재미있어 보이니까 일단 사는' 사람이 많다고 해요.
여성향 만화
남성향 만화
…그럼 검색까지 해가면서 사는 사람은, 종이 단행본파… 라는 게 되나?
전자책파와 종이책파 독자는
서로 소비 패턴이 다르다고 하니까요.
사이트의 톱 페이지는 매일 갱신되니까,
눈에 띄는 특별 이벤트나 '무료' 이벤트로 톱 페이지에 올려 손님들의 주목을 끌지 않으면
전자책은 쉽게 움직이지 않아요.

좀더 설명드리자면 요즘 손님들은 흥미만으로 책을 구매하니까
어느 작품이 어느 잡지에 실렸고 출판사는 어디인지,
남성지인지 여성지인지 거의 의식하지 않는대요.
SNS에서 화제가 되어서 히트친 작품도 많고요.
내가 어릴 적에는 좋아하는 잡지에 실리는 건 다 재미있었다고 생각했는데.
출판사의 잡지 브랜드가 통용되지 않게 되고,
'재미있는 작품'이라는 개념만 남는 건가…
지금이야 종이책이랑 전자책 양쪽이 다 잘 팔리고 있으니 기쁘지만…
잡지의 존재가 희미해지는 게 두려워요…
네가 힘내야겠네~
넵! 힘낼게요!

털썩
전자책, 엄청 빨리 컸네~ 언젠가 그쪽이 대세가 될 거라는 이야기는
종종 들었지만…
고맙게도 내 만화는 종이책도 판매량이 나와주니까 아직 안심이긴 한데…
난 종이책파니까
툭툭
그래도 한번 전자책으로도
단행본을 사볼까.
달칵
이 신인, 평이 좋던데.
읽어 볼까!!
리뷰 고평가
고객의 목소리!
이벤트중! 추천작!
지금이 기회!
추천 신인작가!
…읽는 데에 5분도 안 걸렸네…
이건… 재미있는 건가?
내 것도 읽어볼까.

어째 쓸데없이
사람도 많고,
배경도 너저분하고.
…어라?
읽기… 힘들잖아?
신인의 작품이
더 읽기 쉬…운…
혹시
이 신인…
어, 어라…
잠깐!!

좌우 양면이 아니라
세로 스크롤에 맞춰서
컷을 구성한 건가?

주간
바이브스 편집부
쿠로사와, 후카왓치는 어때? 진전 있어?
얼마전에 잠깐 연락을 드렸는데요,
아직은 전혀…
야, 그럼 안 되지! 격려 좀 해줘!

그러네요…
힘이 없어 보이시던데… 함께 식사라도 해봐야겠어요!
라멘
SHINE
후룩
후루룩

후루룩
정말 맛있게 먹는군!
이 가게 정말 맛있네요! 미부 씨의 라멘 블로그에서 본 후로 내내 궁금했거든요!!
미부 씨가 알려주신 가게예요…
반짝
역시 맛있네요

와아… 『바이브스』가 놓여 있어요…!!
주간 바이브스 VIBES
이건… 꽤 오래된…

그건
미쿠라야마 류
선생의『드래곤』
시리즈에서…
쉬림프가
부활한 호라오.

!!
전 단행본으로밖에
못 읽었어요…!!
아마 10년쯤 전
에피소드 맞죠…!!

아직 요리를 배우던
초짜 시절엔 그야말로
죽도록 힘들었는데,
내가 쉬림프를 좋아했거든…
미쿠라야마 선생님께
팬레터를 보냈더니
답장을 주셨지 뭔가!
부활한 호도
열 권쯤
사버렸지!

이 가게의
부적 같은
거라오.
주간
VIBES

미쿠라야마
선생님께
전해드릴게요
…
엥?

전『바이브스』에서
미쿠라야마 선생님을
담당하고 있는 쿠로사와
코코로라고 합니다!
꾸벅
뭐이라~
진짜?
리얼리?

…쿠로사와 씨, 부러워요… 다른 사람이랑 금세 친해지고… 대화도 능숙하고…
고민도 없어 보이고…
예전에… 대학생 때 슬럼프가 와서 시합에서 지기만 하던 때가 있었는데요…
왜 지는 건지 끝도 없이 생각하고 고민하고 또 고민했어요…
기숙사 선배가 홋카이도에 다녀오면서 선물로 준 한정 상품
홋카이 버터
홋카이도 버터콘 톤코츠 쇼유 징기스칸맛 라멘을 먹으려던 때에도,
대체 왜 그 시합에서 진 걸까.
이길 수 있었을 텐데. 그때… 먼저 다리를 걸었다면…
어째서…
어째서…!!
헉!
홋카 도 버터콘

쾅
컵라면이!! 불어버렸어요!!!! 무슨 맛인지 얼마나, 얼마나 기대했는데!!!!

……

그후로, 3분 이상 고민하지 않기로 결심했어요!

언제까지고 똑같은 고민을 어영부영 우물쭈물 질척질척 반복해봐야 좋은 일은 하나도 안 생기더라고요!!
푹
푹
푹

같은 시합은 두 번 다시 할 수 없어요.

상대의 컨디션도, 자신의 컨디션도, 주위의 상황도 전부 다르죠.
다음에 이기면 되니까요!!
명백한 실수나 약점을 확인했다면
졌다는 사실은 잊어도 돼요.

벌컥
기초 연습…
그림이라면
데생일까…
…쿠로사와
씨는 어떻게
슬럼프에서
탈출하셨나요?
저는
익히기 연습을
늘렸어요,
기초 연습이죠.
물과 골격
이야기를
짜는 건
내 특기가
아니야.
캐릭터들이
떠들기 시작하면
알아서 이야기가
만들어지는
쪽이지.

소환되어라,
내 캐릭터들이여…
어서,
어서.
'헬로, 인간들!!' 특집의 인기가 꽤 좋은데요.
『애니정션』이 특히 실적이 좋아.
RtL
Read to Limit
CROQUIS

아! 그거라면
이 장면이
좋을 것 같아서
마킹해뒀어요!
이 작품은
밀면 조금 더
올라갈 것 같은데요~
외부에 배너 광고를
내볼까요?
준비성도
좋지~
팬이니
까요!!

이 작가는
말이지,
실제로 배너빨도
잘 받아.
대사도 재미있고
배너빨
이라니!
ㅋㅋ
'그림 실력'
덕분일까…?
중요한
장면이
멋있거나
왠지 인상에
남거든.
손톱
이라도
갈고
있어
미디엄
레어
!!
박
박
정말로
갈고
있잖아
!!

코토칸
쿠로사와 씨.
아, 코마이 씨!
고생 많으세요~
『애니정션』의 배너 광고를 내고 싶다고 RtL에서 연락이 왔는데요,
이 장면을 써도 괜찮겠냐면서요.
아! 저도 좋아해요, 이 장면!
인상에 잘 남죠.
미디엄 레어!!
손톱이라도 갈고 있어
박
박
근데
'배너 광고'라는 게 뭐죠?
죄송합니다
에고고
여기를 봐! 이게 배너 광고야!! 깜빡 눌러버리게 되는 거!!
전부
스포츠
예능
화제
뉴스
전부
단숨에 읽는다!
무료!!
일렉트로북

평소에는 전자책 서점에 접속하지 않는 사람도 흥미를 가져줘서
그걸 계기로 인기에 불이 붙는 작품도 많아요.
대단해… 명예로운 일이네요.
꾸벅
전자책에 관해선 선생님께서 저한테 일임한다고 하셨으니, 그렇게 부탁드립니다!
외부 사이트에 게재한 지난주 배너 광고 결과…
데이터가 나왔습니다.
『애니정션』으로 들어와서 신규가입한 회원… 많네요.
기분 탓이려나? SNS로 『애니정션』 이야기를 하는 사람이 많은 것 같아요.
국내작 추천
입소문 타기 시작한 거 아닐까?
애니멀 정션
후카와 유
미디엄 레어 !!
네가 할 소리는 아냐!
RtL

『애니멀 정션』
주인공 유라라는
얌전하고
남의 말에
잘 휩쓸리는
여자아이다.
그런 그녀가
자신의 성향과
가장 동떨어진
유형인 치타로
스위치되어,
평소엔
하지 못하는 말을
대놓고 하거나
하지 못하는 일을
해낸다.
비겁해서 치가 떨리도록
싫어하는 녀석들을
발톱으로 할퀴어버리거나,
좋아하는 사람들에게는
배를 드러내고
어리광을 피운다.
내가
정말로
사랑하는
캐릭터야.

A교실 1B홀
15:00~19:00
시민 데생 클래스
B교실
15:30~19:30
영국문학 읽기
타카하타 선생님, 뭐하심까?
Web용 컷 분할 연구.
세로 스크롤이든 가로 스크롤이든 똑같이 박력이 느껴지는 컷 분할을 고민중이야.
그런 게 가능할까요?
양면 페이지에 맞춘 컷 분할이야말로 만화의 생명 아니겠습까.

해보지 않고는 모르는 일이지.
마음껏 읽자
RtL
Read to Limit
와아!!
에조! 다른 전자책 서점도 톱 페이지에 『애니정션』을 걸었어!!
… 시작인가?
그건… 대단한 일인가요?
배너 광고를 본 사람이
자신이 평소에 애용하는 전자책 서점에도 있을지도…? 라고 검색해서 산다…
데이터를 확인한 서점은 작품을 톱 페이지에 올린다.
리드 리드 앤드

다른
전자책 서점으로
점점 불꽃이
옮겨 붙는다.
리드 리드 앤드
즉시 무료 체험
검색
키워드를 입력
신간 일람
NEW 신작
화제작
애니멀 정션
후카와 유
애니멀 정션
리뷰 랭킹
달리기
시작
했다…
치타처럼.

제64쇄 ★ 별빛!

405
TAKAHATA
……선생님,
왜 그러심까…
달
달
Web용으로
세로 스크롤에
맞는 컷 분할을
연습하고 있는데…
손이!!
말을
듣지
않아!!

'좌우 양면
페이지 만화'에
너무 익숙해져
버렸으니까~!
평소와
다른 느낌!
기분
나빠!!
잠깐만
긴장을 풀면
금세 양면
기준으로
그리게 돼!
좌우 양면
페이지
떨어지기
힘들어!
나누기
힘들어!!
좌우 양면
페이지야말로
만화의
진수!!
짜샤!
무리여도
해내는 게
만화가라고!!
무리하지
않으시는 게…

리드 앤드 리드
COMIC YOM!
RtL
Read to Limit
마음껏 읽자
모든 전자책 서점의 톱 페이지에 『애니정션』이 걸려 있어.
얘기하는 사람도 엄청 많고~
3권으로 끝나는 분량도 딱 좋았어.
구매자 성별 통계는 여성 7에 남성 3…
연재지는 『바이브스』… 남성만화지네.
여성독자의 눈에 띄지 않았던 걸까.

그게 여성뿐만이 아니라…
이거.
팬레터?
우리 주소로 보냈더라고.
도쿄 도 신주쿠 구 RtL
어째서 여기로?!
후카와 선생님
저는 초등학교 3학년이에요.
엄마 태블릿으로 애니멀 정션을
읽었어요. 그럭저럭 재미있었어요.
더 열심히 노력하면 애니가 될 수
있을지도 모르겠어요.
그리고 그림을 좀더 잘 그리면
인기가 많을 거예요.
응원할게요.
귀엽다! 초등학생 남자애야!!
연재잡지라는 개념이 없는 거야!!
아아… 그런가!
전자책으로 사서 전자책으로 읽었으니까.
도쿄 도 신주쿠 구 RtL

그런데…
이걸
어떡하지?
도쿄 도
선생님이
기뻐해주시면
좋겠는데…
트위터도
여전히
새 글이
없고…
『바이브스』는
코토칸이지?
우리 영업이 갈 때
전달해달라고 할까?
팬이구나
찐팬이야~
후카와
선생님 담당
편집자한테
전해달라고
말야.

주간
바이브스 편집부
쿠로사와
아아~
네에에!!
크, 크, 큰일이야!! 모든 전자책 서점의 톱 페이지에 『애니정션』이 올라왔어!!
여여여, 연락해! 후카왓치한테 알려주고 격려해줘!
네!!
덜덜
덜덜
미부, 이제 넌 담당이 아냐. 새끼곰한테 맡겨둬라.
아녜요! 마침 새 연재의 콘티가 완성되었는지 연락해보려던 참이었어요.
죄송합니다, 편집장님… 저도 모르게 그만…

안녕하세요! 『바이브스』의 쿠로사와입니다!!
지금 통화 괜찮으신가요?
네… 콘티는 아직이지만요.
무슨 일이시죠?

좋은 소식 전해드리려고요!!! 실은 『애니정션』이 모든 전자책 서점의 톱 페이지에 올라갔거든요…
어라? 이런 격려로 괜찮은 걸까?

네에… 그게 대단한 건가요?
다… 당연히 대단하죠!

인기 짱이라는 뜻이에요!!

초등학생 수준의 대화로군…

…전자책으로 팔리는 건
기쁜 일이지만…
아직 인세도 안 들어왔고…

얼마나 읽어주시는지
감이 안 잡혀서,

솔직히… 와닿지 않네요…

왜 이제 와서?
어째서 종이책 단행본이
나왔을 때는
팔리지 않았던 거야…
그때
잘 팔렸다면
연재를 계속할 수
있었을 텐데…

내 힘이
부족했던 걸
다른 탓으로
돌리면 안 돼!!
다음 작품에
집중해야지…
무엇을
그리고
싶은지.

아니면
이제,
그릴 수 없는 건지.

이 책
있나요?
애니멀 정션
후카와 유
여쭤볼 게
있는데요~
아, 네.
책

아… 지금은
품절입니다.
주문하면
갖다주실 수
있나요?
네,
물론이죠!!

잘 먹겠습니다앙 ♡
매실장아찌
된장국
액상수프 타입

우물
우물

하아~ 된장국 최고~

『애니정션』
중쇄는
아직이야~?
손님들이 기다리고
계신다옹~

카와.
오옷!!
꺄~ 기뻐라

코믹 영업국

코믹 영업부

저도 난처하다니까요~
코앞까지 와 있는 느낌이네요. 상부의 판단만 기다리고 있어요.
서점에서 어찌나 재촉하는지…

빨리 중쇄를 찍으면 좋겠다! 후카와 씨에게 힘이 될 수 있도록!!

안녕하세요~
쿠로사와 씨.
네!

후카와 선생님한테 온 팬레터예요.
'RtL' 영업사원이 이걸 주고 가셨는데요.
전달해 달라고 부탁하시더군요.

그리고
이건 저번에 부탁하셨던 미쿠라야마 선생님과 타카하타 선생님의 이벤트 매출 데이터예요.
고맙습니다!!

전자책 서점에서?
팬레터를 왜…
편지가 RtL로 왔다고 하더라고요.

가보겠습니다.
『바이브스』가 아니라 전자책 서점에…
잡지의 개념이 사라져가고 있다는 건 알았지만…
이 정도일 줄이야…
이제까지의 단행본 판매 방식으로는 닿지 않는 독자가 늘고 있다…는 게 분명해졌네요.
도쿄 도
신주쿠 구
카페
페루

전해드릴 게 있어요, 팬레터입니다.

초등학생… 남자? 『바이브스』로 온 게 아닌데요?
전자책으로 『애니정션』을 읽고 그대로 전자책 서점으로 보낸 것 같아요.

요즘 아이들한테는 잡지 개념이 아예 없나요?
미부 씨도 쇼크를 받으셨어요.

그래도…
메일이 아니라 엽서라니… 어쩐지 엄청 기쁘네요…

쿠로사와 씨,
신작 콘티가…
전혀 진전이 없어서
죄송해요.
이렇게
몇 번이나 미팅을
하고 있는데도
성과가 없어서…

아니에요!
부담 갖지
마세요!
즐거운
마음으로
기다리겠
습니다.

아이디어나 캐릭터가
조금씩 떠오르고는
있지만, 뭐랄까…
중심이 비어 있다고
할까…

중심…
이요?

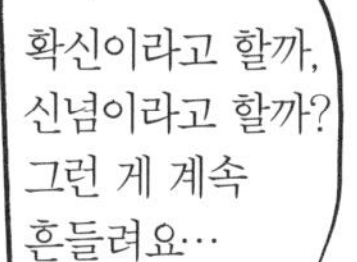

'이렇게 하고
싶다'라든가
'이런 작품으로
하고 싶다'라는 게
휘청거려서…
확신이라고 할까,
신념이라고 할까?
그런 게 계속
흔들려요…

끄덕
끄덕
공감이 가요…
체축이 곧게
뻗어 있지 않으면
기술을 걸 수가
없거든요.

?

코토칸
그렇구나. 아직도 진전이 없다니.
네… 너무 힘들어하시는 것 같아요.
빨리 중쇄가 되어서 서점에 쌓여 있는 걸 보면
조금은 힘을 되찾으시지 않을까 하고 생각하는데요…
자신감을 잃고 확신을 갖지 못하는 상태인데도 거기서 뭔가를 만들어낸다…
그 괴로움은 상상하기도 힘들 거야.
기다리는 것 정도는 아무것도 아냐.
편집자가 할 수 있는 일은… 1을 10으로, 10을 100으로 불리는 정도고,
0에서 1을 낳는 괴로움은 작가의 몫이지. 그걸 생각하면…

RtL
Read to Limit
마음껏 읽자
후카와 선생님이 팬레터 읽고 기뻐하셨대!
오~ 꼼꼼한 담당~
후카와 선생님의 담당 편집자가 코토칸 영업사원을 통해 연락을 줬다더라.
에조~

다행이네요… 하지만,
트위터는 여전히 갱신이 안 되고 있네요.
응원하고 싶거든요, 팬이니까요.
팬이구나!
찐 팬이에요.
멘션까지 남겼네!

전자책으로『애니정션』을 읽었어요.
이렇게 재미있는데
왜 안 팔렸던 걸까요?

최고!! 진심인 걸까 하고 생각했더니 반전이
있어서 즐거웠다.
애니정션 최고!!

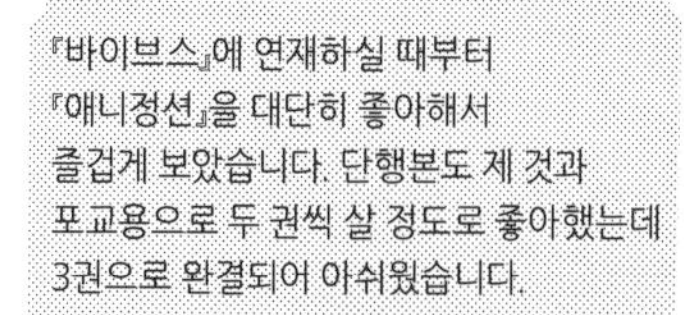
『바이브스』에 연재하실 때부터
『애니정션』을 대단히 좋아해서
즐겁게 보았습니다. 단행본도 제 것과
포교용으로 두 권씩 살 정도로 좋아했는데
3권으로 완결되어 아쉬웠습니다.
연재가 계속되었다면 좋았을 텐데,
라는 마음도 있지만 신작도 읽고 싶네
지금은 기대로 가득합니다!

…내 만화를
기다려주는 사람이,
있구나…
쿠로사와 씨 말고도.

그 마음은?

별빛
같은 거라고
생각해요,
전자책은.

별빛이 지구에
닿을 때까지
걸리는 시간은
제각각이잖아요.
태양은 약 8분?
달이 1.3초던가요.

그려진
만화는
모두 누군가의
마음에 닿는다.

그렇게 믿고 있어요.
하지만
읽는 이에게
천천히
닿는 작품도
있고,
초 단위로
닿는 작품도
있죠.
코토

쿠로사와 씨, 『애니정션』 전권,
대량 중쇄가 결정되었어요!!
다행이야! 이걸로 후카와 씨의 파워도 부활할 거야…!!
책
찍었다네~
대량 중쇄!!!
화제작
와~ 대단해!!
애니멀 정션 후카와 유 1
애니멀 정션 후카와 유 2
애니멀 후카 3
사진 찍어도 되나요?
후카와 씨한테 보여드리고 싶거든요!
물론 이지~

아~
쿠로사와 씨,
미안해요,
아직
콘티가…
움찔
띠롱
안녕하세요~ ^_^
좋은 사진 보내드릴게요!
중쇄가
결정되었다고
쿠로사와 씨가
말씀하셨는데…
어…
이건…

대량 중쇄!!!
애니멀 정선
후카와 유
내 책이
이렇게
진열된 모습은
처음 봐…!!

후카와 씨한테서 '기뻐요'라고
회신이 왔어요!
이제부터 직접 서점을 돌아보실 생각이라네요.
새 연재에 힘이 되면 좋겠네~
그러게요~
앗?
돌아온! 서점 직원이 추천하는 불상 특집
카와 씨의 책장이 부활했네요!
그게 말이지~ 손님들한테서 부활시켜 달라는 요청이
매장에도 사업부에도 잔뜩 왔다더라고.
카와
공간은 한 단 줄었지만…
그래도 고마운 일이지.

저벅
어서 오세요
책
배달합니다
대단해… 어느 서점에나
『애니정션』이 깔려 있어!!
정말로 많이 팔렸나봐… 실감이 안 났지만…
몸이 떨려…
쿠로사와 씨한테도 보내주자!
허락받고 찍었다
찰칵
애니멀 정션
후카와 유
1 2 3

유카리 서점
혹시 이런 작은 동네책방에도…

역시 없구나…

오늘은 기운차게 드시는구려~
뭔가 좋은 일이라도 있으셨나?
라멘
SHINE
후룩
후룩
네, 조금요.
그래, 중요한 건 이건데.
사진 대단해요! 이 기세로
후카와 씨의 중심을 찾게 되면 좋겠네요!
정말로 기쁜 건 콘티가 완성되는 일이겠지만…
띠롱
잘 먹었습니다.

매번
고마워요~

VIBES COMICS
애니멀
후카와 유

…이건!!
아~~~
『애니정션』?
그거
재밌다오~
쏴아
손님이
어찌나
재밌다고
추천을
하는지~
유카리 서점에
있어서 사왔지.
『바이브스』에
연재되던 시절에는
읽지도 않고
넘겼는데~
그땐 왜 그랬을까~
뚝
뚝
왜, 왜
그러시나?!
다음 작품은
잡지 지면에서
즐겁게
읽으실 수
있도록,
반드시…
최선을
다하겠습니다
…!!

부모님은
장사를
하시느라
언제나
바쁘셨다.
으아아아아앙
손님,
아, 아니,
선생…
만화가셨소?
이거 그린?
부모님께
응석을
부리고 싶은
마음은
들었지만,
저녁에는
언제나
천 엔짜리
지폐를
들고 가,
그 대신
수많은
만화잡지들이
나를 위로해
주었어.
근처
라멘집에서
혼자 밥을
먹었지.
그래,
나는,

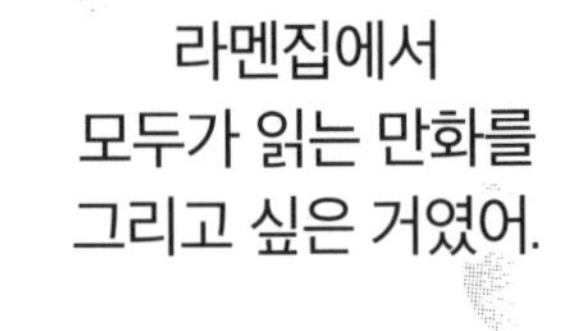

후카와 유 @오래 기다리셨습니다☆

드디어 새 연재를 시작합니다!!!!!!

중쇄를 찍자! 重版出来

제65쇄★
오버 더 레인보우!
GUEST

코토칸
그럼 잘
부탁드립니다.
네, 잘
부탁드립니다.
3
2
1
띵
쿠로사와
씨.

마침 잘됐어… 『바이브스』에
상담하러 가려던 참이었거든.
소메야 씨, 타시는 건가요?
주간 바이브스 편집부
'동·경·하·는 직업'?
Ponytail

그리고 이번에는
탤런트 타노사키 고 씨가 만화광이라,
'만화편집자가 되고 싶다'라는 리퀘스트를 하셨는데
패션잡지 『포니테일』의 명물 기획인데,
탤런트들이 자신이 좋아하는 직업인이 되어서 그 현장을 촬영하는 거예요.
동·경·하·는 직업
15
개그맨
벌떡
혹시 『바이브스』 편집부에서 촬영 허가를 내줄 수 있을지
물어보시더라고요.
된
타노사키 고, 타노고… 우리 딸이 팬이야…

이발 좀 하고 오마.
편집장님은 출연 안 하셔도 괜찮을 것 같은데요!
그런가? 어째서? 타이거즈 넘버 저지를 입으려 했는데?
아~ 음~
편집자라면 그건가? 야식으로 컵라면을 먹거나, 담당 작가한테 욕을 한바가지 먹거나 SNS에서 실명으로 온갖 험담의 대상이 되어서
비 맞은 생쥐처럼 풀죽은 모습 따위를 사진으로 선명하게 남기는 건가?
아프다 …
내 입으로 한 소리지만…
그럼 『포니테일』의 소메야 씨한테 OK라고 전해 두겠습니다.
예스~
그 정도야 뭐
실은 또하나 꿍꿍이가 있지만.

그리고 촬영 리포트를 아유한테 써달라고 해볼까 싶어. Web기사 쪽으로 말이지.
독자와 연령대가 비슷한 아유의 신선한 시점이라면 독자들도 쉽게 공감해주지 않을까 해서 말야.
아유가 말이지… 편집 일에 관심이 좀 있는 것 같거든…
아, 저한테도 물어본 적 있어요!
어떻게 해야 편집자가 될 수 있나요? 라고요.
역시 그랬어?!
독자 모델로 온 다른 아이들은 메이크업 아티스트나 스타일리스트한테 관심이 많은데
아유는 필진이나 우리 편집자한테 보내는 시선에서 열의가 느껴지거든!
끄덕
끄덕
나도 엄마한테 사달라고 해야지!
와! 이거 예쁘다!
아유

인재 확보…
쇠뿔도 단김에 빼라…
편집자를 지망하도록 유도하는 거야!!
아자!
하지만 상대는 중학생! 예민한 시기야! 그러니까 은근~하게! 직구 금지!
자칫하면 말짱 도루묵!
넵!
?
우후후

주간
바이브스 편집부
다들 평소보다 멀끔해 보이는 건 제 기분 탓이겠죠…?
네.
그리고 여름방학 숙제로 이번 일을 리포트로 제출하려고요.
오? 아유 아니냐?
좋은 일 있니? 기운이 넘쳐 보이는구나
안녕 하세요.
마침 여름방학이니까 좋은 경험이 되지 않을까 해서,
『포니테일』의 Web기사를 부탁했거든요. 그치?
성실하구먼…
GUEST

타노사키 고 씨가 들어오십니다.
잘 부탁드립니다!
별 말씀을.
협력해주셔서 감사합니다.
이건 아직 공개하지 않은 기획이니까 조심해주시고요.
나머지는 편하게 찍으셔도 됩니다.

아!!
<쿠라가리 형사> 효고편의 중학생 바둑기사 마사키 신지를 연기하신 분?!
어떠냐, 쿠로사와! 저런 사람이 네 취향이냐?
멋지네요~
저런 사람이 만화편집자로 있으면 난리도 아니겠는데요.
아는 사이?
어디선가 본 적이 있어요… 내내 신경이 쓰였는데요.
으음~

오오~ 마니아~
쿠라가리 형사가 피자 주문하다가 실수하는 걸 침착하게 말리는 장면이 좋았어요!
우와! 그걸 아시다니!!
한 화 출연으로 끝이었지만, 그게 제 드라마 데뷔작이에요!

아유, 미안! 『포니테일』 편집부에서 이번 호 좀 가져다 줄래?
네!
네!
편집자는 이런 일을 하는구나…

탕
띵
?
저기… 죄송합니다, 거기 서 계신 분, 잠깐 비켜주실 수 있을까요?
나카타 씨!
GUEST

안녕하세요.
이거 뭐죠…

아, 지금
잡지 촬영중
이라서요.
나카타
라면…

설마…
나카타 하쿠
선생님
이신가요?
흔들

와락
팬입니다!!

빳빳
빳빳
나카타 씨, 괜찮으세요!
촬영 도중에 죄송합니다…
그만 흥분을…
콘티 작업하러 왔는데요…
이쪽 부스를 써주세요!
물도 드시고요.
아, 고마워.

기사로
쓸 수 있을 것
같아?
네!
와아~
편집자
보조?
평생학습 센터
아스나로 학원
NPO 법인
SAKI

흥미도 있고 해보고도 싶지만,
작문 과제 정도를 제외하면 글다운 글을 써본 적이 없어서…
재밌겠네! 고민하지 말고 그냥 하지 그러니? 여름방학 리포트로도 딱 좋아 보이는데.
아, 그런가… 그러네요.
아유, 장래희망이 편집자니?
아… 음… 딱히 그렇지는 …
꿈 같은 걸 가져서 뭐해. 이뤄지지 않으면 슬프고 비참하기만 하다고.
일단 도전해 보는 게 어때? 적성에 맞는지도 미리 알 수 있으니까.
꿈이 있다니 좋다~

코야마.
넌 그런 소리
하기 전에
구구단부터
완벽하게
외워보자.
첫~
나…
편집자가
되고 싶은 걸까.
될 수 있을까,
나도…
쿠로사와 씨,
전에… 결국엔
목표로 했던
올림픽엔 나가지
못했지만…
그래도…
노력하길
잘했다고
말했잖아.
응?

후회… 안 해?
정말로?
안 하는데?
아… 하지만 부럽기는 했어. 같은 반 여자애들은
멋도 부리고 데이트도 하지만 우리는 전부 금지였으니까~

시합이 최우선이라 수학여행도 못 갔고.
그랬어?!

하지만… 그건 그것대로 괜찮다고 생각해.
덕분에 이렇게 아유랑 만나게 되었잖니.

편집자가
되고 싶니?
아유한테
묻고 싶어!
못 참겠어~
직구 금지!!

아유…

뭔가…
목표로 하고
싶은 게…
생겼니?
아직…
확실하지
않으니까…
말 못 해.

만약 되고 싶은 걸 찾았다면
'될 거야' 라고 말하는 게 좋대.
……
싫어 …
제대로 목소리를 내서 말하면 이루기 쉽다는 거야.
자기암시라고 하나? 코치님이 알려줬어.

아유, 미안한데
심부름 좀 해줄래?
3층에 가면 주스나
음료수 자판기가
쭉 있거든.
좀 사다
주겠니?
네!
되고
싶어…
아, 좋다.
아유가
반짝반짝
빛나고 있어.
현실에선
이뤄지지
않는 일도
많겠지만—
편집자가
되고 싶어.
정말
좋아하는 것을
진지하게
마주하는
시간이,

당신을 당신으로
만들어줍니다.

쿠로사와 씨.
우왓!
아, 넵!!
집중이… 안 되네요. 돌아가는 게 낫겠어요.
네? 아아~ 죄송해요.
다른 층 부스나 회의실을 쓰시겠어요?
아뇨, 그냥 갈게요.
죄, 죄송 합니다!!
위이잉
띵

우왓~ 잠깐만요!!
타 타 타 타 탁
탁
헉…
점검중
점검
밖에 있는 편의점에서 사오는 게 낫겠다…

땡
3
2
1
ID카드
반납함
GUEST
핸드폰을
놓고 왔네…
6
5
4
3

으아아~
잠깐만요!!
아…
나카타
선생님!

고맙습니다.
선생님도 7층『바이브스』 가시는 거 맞죠?
…기억하고, 계시네요.
그럼요!
띵
7
6
5
4
3
2

고마워~
주스 오래 기다리셨죠.
고맙습니다!
와앗!!
나카타 씨, 뭔가…
왜 그래, 쿠로사와?
핸드폰을 놓고 와서요.

지금,
나카타 씨가
엄청 웃고
계셨어요.
저런 미소는
처음 봐요…

고생 많으셨습니다~ 그럼 가보겠습니다~
아유, 수고했어, 재밌었니?
일 정말 잘하더라!
아유, 아까 보니까 일하는 걸 옆에서 거들고 있던데.

편집자가 되려는 게냐?!
…네.

주룩
와아!!
주룩
되고
싶어요.
소메야 씨,
어린애 같아…
40대한테는
모든 게
눈부시게
보인다고오~
후다닥~
어?
소메야 씨?
왜
그러세요??
패앵
GUEST
GUEST

코토칸
이오키베 씨, 뭔가… 깨닫지 못하시겠어요?
꿈뻑
꿈뻑
야, 야, 너무 가까워. 알았으니까 좀 떨어져.
소메야 씨가 속눈썹 연장을 해주셨어요♡
역시 여자니까 메이크업도 제대로 하고 싶겠지♡ 라면서요.
네일아트도 해주셨고요~
멋부리는 거야 좋지만, 얼굴이 꼭 그림물감 팔레트 같구나…
그럼 미팅 다녀올게요~
푸딩
「중쇄를 찍자!」 제11권 ─ 끝

【팀 중판출래!】

만화: Naoko MAZDA
작화 스태프: Saiku BABA, Ayaka KOGA, Buko, Wagashi KANAZAWA, Akari OTOKAWA

오리지널 타이틀 로고+장정: Yoshiyuki SEKI (VOLARE)

담당 편집: Naoko YAMAUCHI
단행본 편집: Naoko YAMAUCHI & Misa UCHIDA (SHOGAKUKAN NANING)
단행본 책임편집: Kazuyuki TSUCHIDA
판매 담당: Kento ADACHI, Shinichiro TODAKA, Masao ARAI, Muneya OGAWA
홍보 담당: Naoko TAKAHASHI
단행본 제작 담당: Yasushi IKEDA, Naoko KARIYA, Yuko NAOI, Gantaro YOSHIDA

취재 및 만화 제작에 도움을 주신 분들

Junzi ISHIHARA, Hiroshi ITO, Haruka IRIE, Mitsuru IWASAKI, Yuichi ENDO,
Wataru OBA, Shuichi KATO, Hiroyuki KOSHU,
Fumiya SATO, Katsuya SHIBAHARA, Junya TAKITA, Akikazu TAKAYAMA,
Yumetaro TOYODA, Daisuke YAMAMOTO, Takashi YAMAMOTO,
Reiko YOSHINARU & Takehiro KOMIYAMA
그리고 이야기를 들려주신 전국의 서점 직원 여러분.

수많은 분들이 도와주신 덕분에 이 만화를 만들 수 있었습니다.
그 밖에도 익명의 많은 분들을 취재했습니다.
따뜻한 응원 언제나 감사하게 생각합니다!

그리고… 독자 여러분.
이 단행본을 구입해주셔서 진심으로 감사드립니다.
읽어주셔서 대단히 고맙습니다!

중판출래!11 뒷이야기!
드디어
진심으로 감사드립니다
하지만 인생이란 기쁜 일이 있으면 슬픈 일도 있는 법…
그 10권을 넘어선 11권!!
고맙습니다! 이게 다 독자 여러분 덕분입니다!!!
기쁨의 춤
마츠다의 첫 연재 『레터스버거 플리즈, OK, OK!』가 전 10권…
현재
상중하
가와데쇼보에서 완전판 발매 중

비키 우
노르웨이숲 고양이
연재 시작부터 쭉 함께해온 비키가 무지개다리를 건넜습니다.
좋아하는 음식
김

잔병치레 한 번 없이
연 1회의 백신 주사만으로도

건강하고 귀엽고 착하고
예쁘고 장난도 심하지 않은,

와인 두 병과 맞바꾸어
우리집으로 온 지 15년.

부부가 교대로
점심을 챙겨주기 위해
집을 오가는 시기가 있었습니다.

눈을 감기 몇 달 전부터
소프트 요양이 시작되고

영리하고
똑똑하고
폭신폭신하고
말랑말랑한
울트라 러블리한
아이였습니다!!

세상에 존재하는
모든 찬사를
비키에게!!

우리야 집이랑
작업실이 가까우니
이럴 수 있지만
평범한 직업을 가진
분들은 어떻게
하시려나…

부부가 힘을 합쳐
병간호를 하면서
마지막 시간을 함께했으니

후회는 없어요.
비키에게는
고마운 마음만 가득합니다.

천천히
몸을
일으켜,
빛 속으로
똑바로
걸어가는
비키.
돌아봐
주려나
하고,
이름을
불러
보았더니.
비키!
비키야!
지금쯤
사랑하는
엄마 아빠에게
응석을 부리고
있겠지요.
저는
두근거리는
마음으로
다음 인연을
기다리고
있습니다.
성큼
성큼
쌩
깜
역시
비키!
돌아보지
않는다!
대답 대신 크게
꼬리를 흔들며
빛 속으로
녹아들어갔습니다.
비키라면
역시 이래야죠
그럼
월간!
『스피리츠』도
잘 부탁해요♡
제12권은
올
여름경에
♡
가을에는 NEW 를
만날 수 있으려나?
To be continued

중쇄를 찍자! 11

초판 인쇄 2021년 5월 20일
초판 발행 2021년 5월 27일

만화 마츠다 나오코
옮긴이 주원일

책임편집 천강원
편집 김지애 이보은 김해인
디자인 최윤미
마케팅 정민호 박보람 김수현
홍보 김희숙 김상만 함유지 김현지 이소정 이미희 박지원
제작 강신은 김동욱 임현식

펴낸곳 (주)문학동네
펴낸이 염현숙
출판등록 1993년 10월 22일 제406-2003-000045호
주소 10881 경기도 파주시 회동길 210
전자우편 comics@munhak.com
대표전화 031-955-8888 | **팩스** 031-955-8855
문의전화 031-955-8895(마케팅) | 031-955-8893(편집)

ISBN 978-89-546-7864-3 07830
978-89-546-7863-6 (세트)

카페 cafe.naver.com/mundongcomics
페이스북 facebook.com/mundongcomics
트위터 @mundongcomics
인스타그램 @mundongcomics
북클럽 bookclubmunhak.com

www.munhak.com

잘못된 책은 구입하신 서점에서 교환해드립니다.
기타 교환 문의: 031-955-2661 | 031-955-3580

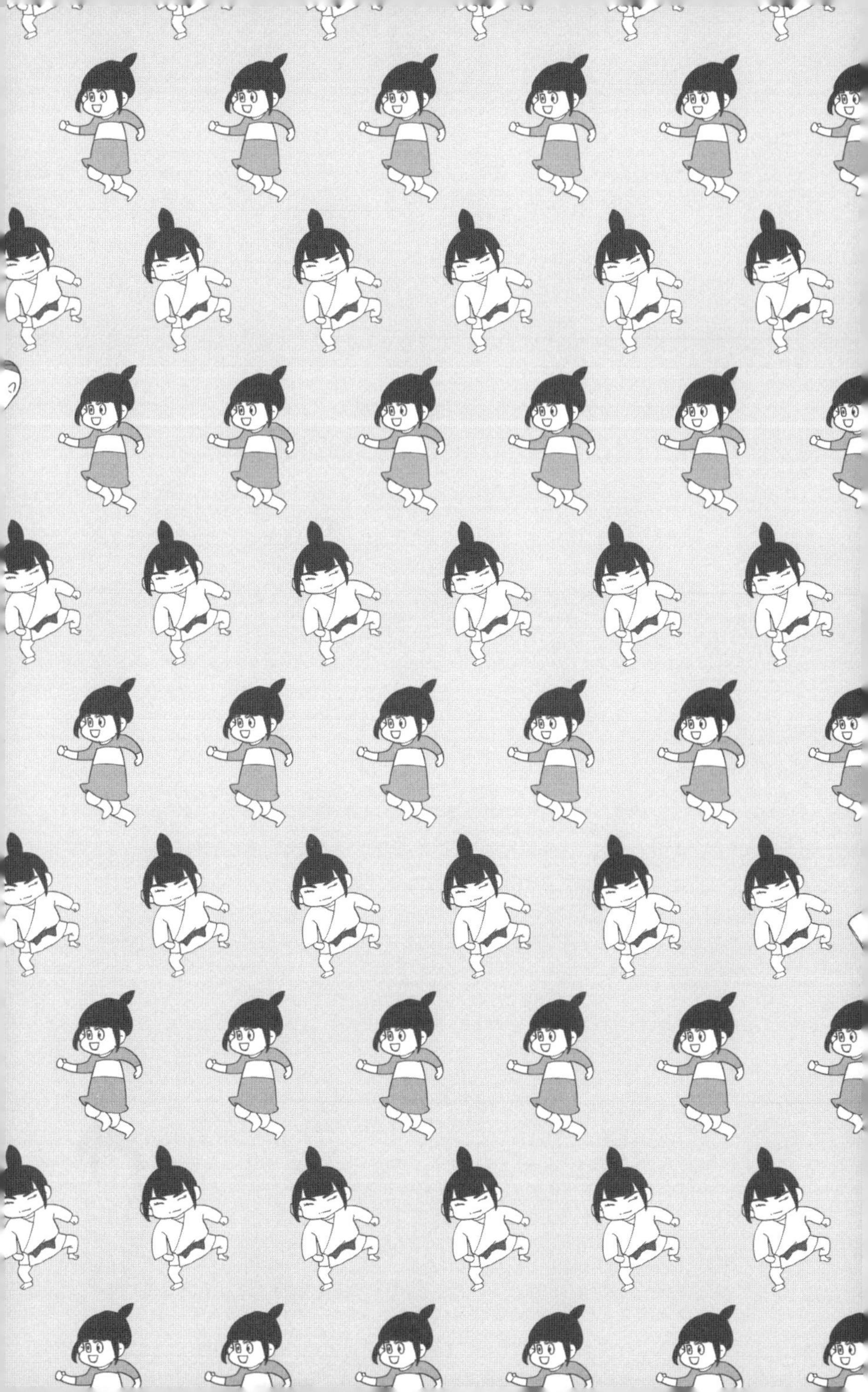